CAMINO A TONDO

Un cuento del pueblo Unkundo del Zaire

Contado por VERNA AARDEMA
Ilustrado por WILL HILLENBRAND

Traducido por ROSA ZUBIZARRETA

SCHOLASTIC INC.
New York   Toronto   London   Auckland   Sydney

Para mi bisnieto Nicolas Adsit,

quien llegó antes que este libro

V. A.

Para Joshua

W. H.

Originally published as: *Traveling to Tondo: A Tale of the Nkundo of Zaire*

Traveling to Tondo: A Tale of the Nkundo of Zaire is a retelling by Verna Aardema of Tale 95, with one episode from Tale 14, in *"On Another Day...": Tales Told Among the Nkundo of Zaire*, by Mabel H. Ross and Barbara K. Walker, published by The Shoe String Press, Inc., Hamden, Connecticut, 1979.

Text copyright © 1991 by Verna Aardema.
Illustrations copyright © 1991 by Will Hillenbrand.
Spanish translation copyright © 1995 by Scholastic Inc.
All rights reserved. Published by Scholastic Inc., 555 Broadway, New York, NY 10012,
by arrangement with Alfred A. Knopf, Inc.
Printed in the U.S.A.
ISBN 0-590-48757-4

1 2 3 4 5 6 7 8 9 10   08   01 00 99 98 97 96 95

GLOSARIO

Tondo: Un pueblo a orillas del lago Tumba

Unkundo: Los habitantes del bosque tropical del Zaire; su idioma se llama lonkundo

Bouane: Palabra en lonkundo que significa gato de algalia

Embenga: Palabra en lonkundo que significa palomo

ika-o: Sonido que representa la marcha del gato de algalia

bua-ua: Sonido que representa el aleteo del palomo

Unguma: Palabra en lonkundo que significa pitón

sue-o: Sonido que representa el deslizarse del pitón

Ulu: Palabra en lonkundo que significa tortuga

ta-ka: Sonido que representa el caminar de la tortuga

a-o: Sonido que representa a los animales bebiendo

ungo-unga: Sonido que representa la caída de la tortuga

pa-o: Sonido que representa a la tortuga cruzando los restos del árbol

N-IE: Palabra en lonkundo que significa *no* o *nunca*

¡Mu!: Expresión que denota disgusto

Un día en el pueblo de Tondo, Bouane, el gato de algalia, conoció a una bella gata con quien se quiso casar. La gata estuvo de acuerdo. Su padre dio permiso para el casamiento y fijó las condiciones.

Bouane regresó a su pueblo. Pronto
consiguió las barras de cobre y los adornos
que necesitaba. Y una mañanita muy temprano,
llevando sus obsequios en una canasta, se
puso en marcha para ir a buscar a su novia.

Y así, iba que te iba,

Bouane caminando, *ika-o, ika-o, ika-o*.
Solito, camino a Tondo.

Bouane necesitaba ayudantes que lo acompañaran. Así que
fue a la casa de su amigo Embenga, el palomo, y llamó:
—Embenga, ¿estás despierto?

Embenga se asomó a la puerta de su casa y contestó:
—Sí. Estoy despierto.

Bouane le dijo: —Ven conmigo a Tondo. Me voy a casar
allí con una bella gata, y necesito que me acompañes.

—Entre amigos, sólo hay bondad —dijo Embenga—. Iré
contigo.

Y así, iban que te iban,

Bouane caminando, *ika-o, ika-o, ika-o*;

y Embenga aleteando, *bua-ua, bua-ua, bua-ua.*

Los dos, camino a Tondo.

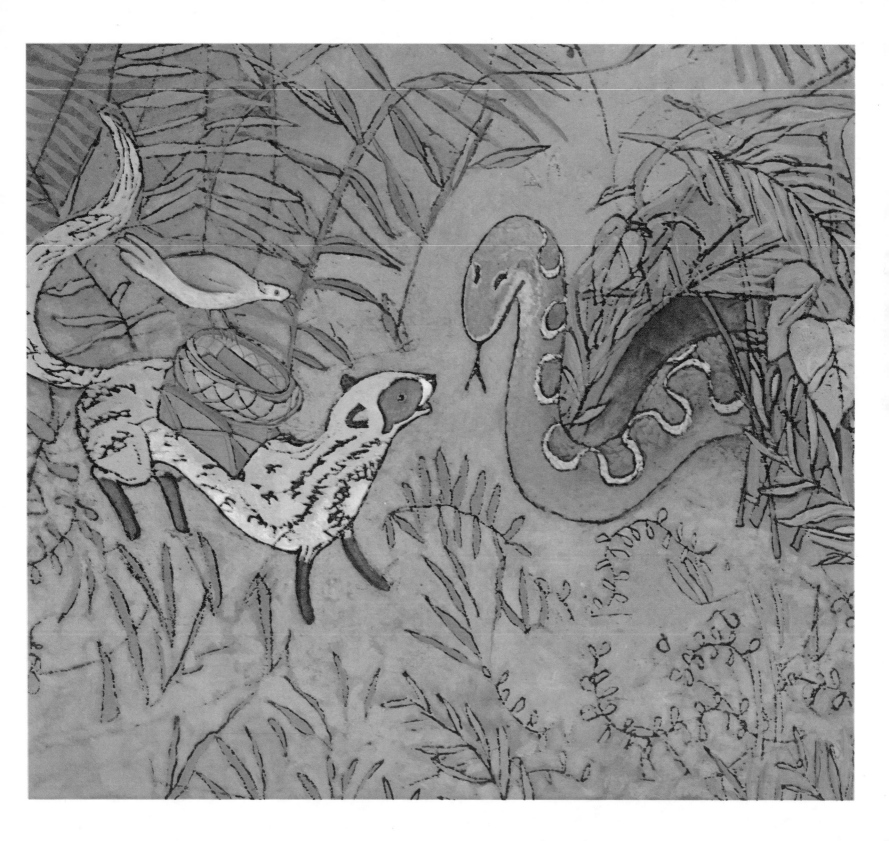

Luego fueron a la casa de Unguma, el pitón. Bouane llamó:
—Unguma, ¿estás allí?

Unguma asomó la cabeza y contestó: —Sí. Aquí estoy.

Bouane le dijo: —Ven con nosotros a Tondo. Me voy a casar allí con una bella gata, y necesito que me acompañes.

Unguma rezongó: —¡A Tondo! ¡Pero si queda a un día entero de viaje! ¿Por qué no te enamoraste de alguien de por aquí cerca? Pero como eres mi amigo, iré contigo.

Y así, iban que te iban,

Bouane caminando, *ika-o, ika-o, ika-o*;

Embenga aleteando, *bua-ua, bua-ua, bua-ua*;

y Unguma deslizándose, *sue-o, sue-o, sue-o*.

Los tres, camino a Tondo.

Por último fueron a la casa de Ulu, la tortuga. Ulu estaba en su patio, remendando una red de pescar.

Bouane le dijo: —Ulu, ven con nosotros a Tondo. Me voy a casar allí con una bella gata. Necesito que me acompañes.

—¡Oh, una boda! —dijo Ulu—. Yo nunca me pierdo una boda. Claro que te acompañaré.

Y así, iban que te iban,

Bouane caminando, *ika-o, ika-o, ika-o*;

Embenga aleteando, *bua-ua, bua-ua, bua-ua*;

Unguma deslizándose, *sue-o, sue-o, sue-o*;

y Ulu ladeándose, *ta-ka, ta-ka, ta-ka*.

Los cuatro, camino a Tondo.

Pronto los viajeros llegaron a una charca de agua. El palomo, el pitón y la tortuga comenzaron a beber: *a-o, a-o, a-o*.

El gato también tenía sed, pero dijo: —Para mí es tabú beber agua de un plato que no sea el mío. Espérenme aquí. Voy a buscarlo a casa.

Sus amigos respondieron: —De acuerdo. Te esperaremos.

Así, mientras sus amigos se quedaban esperando junto a la charca, Bouane regresó a su casa. Después de un largo rato volvió y anunció: —Ven, ya regresé. Y llenó su plato y bebió.

Luego se pusieron en marcha,
Bouane caminando, *ika-o, ika-o, ika-o*;
Embenga aleteando, *bua-ua, bua-ua, bua-ua*;
Unguma deslizándose, *sue-o, sue-o, sue-o*;
y Ulu ladeándose, *ta-ka, ta-ka, ta-ka*.
Los cuatro, camino a Tondo.

Al cabo de un largo rato, llegaron a una palmera cargada de frutos. Embenga aleteaba contentísimo: *bua-ua, bua-ua*. Pero los frutos de la palmera no estaban maduros.

Embenga dijo: —Quédense aquí, amigos, hasta que los frutos estén maduros. Ustedes saben que no hay nada que nos guste más a los palomos que los frutos de palmera bien maduros.

—De acuerdo —respondió Bouane. Y los demás dijeron: —Está bien.

Así que se quedaron debajo de la palmera dos semanas enteras hasta que los frutos maduraron y Embenga los pudo comer.

Luego siguieron su camino,
    Bouane caminando, *ika-o, ika-o, ika-o*;
    Embenga aleteando, *bua-ua, bua-ua, bua-ua*;
    Unguma deslizándose, *sue-o, sue-o, sue-o*;
    y Ulu ladeándose, *ta-ka, ta-ka, ta-ka*.
Los cuatro, camino a Tondo.

Más adelante, Unguma atrapó un pequeño antílope. Lo apretó
y lo mordió. Luego, ¡A-OOOOOJJJ! Se lo tragó de un solo bocado.

Y les dijo: —Amigos míos, cuando me trago a un animal, no puedo viajar hasta que haya completado la digestión. Tendremos que descansar aquí.

—De acuerdo —respondió Bouane. Y los demás dijeron:
—Está bien.

Día tras día, los viajeros esperaron y observaron, observaron y esperaron, mientras el bulto dentro del pitón disminuía. Al fin desapareció por completo. Y Unguma dijo:
—Vamos. Ya puedo viajar.

Y así siguieron,

Bouane caminando, *ika-o, ika-o, ika-o*;

Embenga aleteando, *bua-ua, bua-ua, bua-ua*;

Unguma deslizándose, *sue-o, sue-o, sue-o*;

y Ulu ladeándose, *ta-ka, ta-ka, ta-ka*.

Los cuatro, camino a Tondo.

Finalmente, llegaron a un bosque que quedaba cerca de Tondo. Pero allí mismo, bloqueando el camino, yacía un enorme árbol caído. El gato de algalia y el pitón treparon por él, y el palomo lo cruzó volando.

Pero la tortuga sólo logró trepar un poquito antes de caerse, *ungo-unga*. Volvió a intentarlo una y otra vez. Al fin se dio por vencida y dijo: —Amigos, no logro trepar por encima de este enorme tronco. Tendremos que quedarnos aquí hasta que se pudra, para que pueda pasar.

Bouane gritó: —¡No podemos hacer eso! ¡Así no llegaremos nunca a Tondo!

Unguma asintió: —¡No podemos hacer eso!

Y Embenga sacudió su pequeña cabeza y dijo: —¡N-IE, N-IE!

Pero Ulu protestó: —¡Yo los esperé a todos ustedes! ¿Por qué se quejan cuando les toca esperarme a mí?

Así que se quedaron allí en el bosque, año tras año, mientras el tronco del árbol se pudría. Un día dijo Ulu: —¡Al fin! Es hora de celebrar. El tronco se ha desmoronado.

Y *pa-o, pa-o, pa-o*, trepó sobre el montoncito de desechos.

Los amigos continuaron su camino. Pronto salieron del bosque y llegaron a Tondo.

Fueron derechito a la casa de la novia.

El gato llamó: —¡Soy yo, Bouane! ¡Ya he llegado!

La bella gata con quien Bouane quería casarse apareció en la puerta.

—¡Mu! —le dijo—. ¿Cómo te atreves a presentarte aquí después de tantos años? ¿Pensaste que te iba a esperar para siempre?

Justo entonces, dos gatitos de algalia se le acercaron dando brincos.

—Me casé con otro —dijo la gata—. Y éstos son mis hijos.

—¡Oh! —dijo Bouane tristemente. Luego explicó: —Mis amigos esperaron a que yo buscara mi plato. Esperamos hasta que los frutos de Embenga maduraran. Esperamos a que Unguma hiciera la digestión. Y esperamos a que un tronco se pudriera, para que Ulu pudiera pasar.

—¿Esperaste a que se pudriera un tronco? —gritó la gata—. ¿Cómo puedes ser tan tonto? Tú y tus amigos, ¡váyanse de aquí ahora mismo!, o llamaré a mi esposo.

Detrás de la gata apareció el gato de algalia más grande que Bouane y sus amigos hubieran visto nunca. El gato mostraba los dientes, ¡*NNNNNNN!*

De repente, iban que te iban,
   Bouane corriendo, *ikaoikaoikao*;
   Embenga volando, *buauabuauabuaua*;
   Unguma escurriéndose veloz, *sueosueosueo*;
   y Ulu escabulléndose, *takatakataka*.
Los cuatro, escapando a toda prisa de Tondo.
   Así como en este cuento, a veces hay
demasiada complacencia entre amigos. Si algo
no vale la pena, lo mejor es decir: —¡N-IE!